四月は君の嘘

I met the girl
under full-bloomed cherry blossoms,
and my fate has begun to change.

1

contents

四月は君の嘘

I met the girl under full-bloomed cherry blossoms, and my fate has begun to change.

第1話　モノトーン

ピアノコンクー
主催・毎報新聞社
どうした?
あの有馬が
演奏止めちゃったよ
今までのキャリアが台無し
⑧
有馬公生
市立ひばり小学校6
○選択課題
11歳の秋

僕は
ピアノが
弾けなくなった

キ
ン
行ったあ!!
!!
シンくった
スゴイ飛球

はっ
あーあ
またやった
バカみたいに
飛ばすなよ
いやな音
したね
ボールとって
こいよ
椿
コラー
逃げるな
捕まえろ!!

墨谷中学
音楽室
椿 バイバーイ
バイバーイ

きゃー
死体だ
ピク
う〜ん いたい
ムク
ササ
証拠隠滅
早いとこ逃げ…
!

なーんだ
公生か
?
?
他の人じゃなくて
よかった

あれ? 椿
いつ 音楽室に
ガラス 割れてる!?
!?
エエッ!?
何で!?
視界が紅い
また 椿!?
お前か
やっと直して もらえたのに!!
割ったガラスの 数は 強打者の勲章よ
飛ばし過ぎ 加減しろ
手なんか ぬけるか ――!!
くわっ
ビクッ
中学最後の夏 だからね
私は三冠王に なるの

とりあえず ガラス かたさなきゃ
聞けよ!!
はー
また僕が謝るのか
チリとりもいるよね
あと破損届も
指が─
ちょ

危ないじゃない
もう
指ケガしたら
どーすんのよ!!
別にいいのに

ピロリーン
ピロリーン
家が隣同士
幼馴染み同士
所かまわず
求めあうね
おしどり
夫婦

夫婦じゃねー!!
ビク
何でケータイ持ってんのよ
部活中でしょサッカー部
土足で入るな
あのハゲ教頭め
ガラス割ったくらいでビンタしやがって

だいたいさ
校舎の位置がおかしいわけよ
ボールが飛ぶ方向に建ってるんだもん
女の子が応援してくれるから俺はいいけどね
ビンタされたのは僕だけどな

このアイス美味

買いだめだ!!

聞いてない

公生も災難だったな

関係ないのに怒られて

反省文2枚だって?

こんなのへっちゃら

軽いもんさ

生まれた時から子守りしてきたから慣れちゃったよ

遠足でつり橋壊すわ

ギャー

行けコーセー

お前はライオンだ

ギャー

10m飛び込み台から落とされるわ

ハハハ

小3の時な

死ぬかと思った

うるさい

僕一人っ子なのに
世話の焼けるアネキがいるみたいだ
優しいな公生は
どこがよ!?

でも 公生 程々にしとけよ
優しい奴は
損するって決まってんだ
ニヤリ
♪
!
おお
圭子ちゃんからメール!!
ピュ
俺 用事できた!!
何人目?
3人目
あんなののどこがいいんだか
ザ・軽薄

でも
渡はいい奴だよ
女の敵だよ
公生は？
ん？
好きなコいないの？
美和が言ってたよ
「好きな人がいると
全部がカラフルに見える」って
…僕を好きになる人なんかいないよ

暗い!!
ビ
目が光ってない
私達14歳なのよ
目は黒いから光らないだろ
でた!!常識論
何となくわかるでしょ
輝いてないの
思春期なんだからピカーっと
ピカーっ
ピカーっと
…

うん
椿の目は
輝いている
椿の目には
きっと
風景が
カラフルに
見えてるんだろうな
僕とは違う

美和が言ってたよ
「彼と出会った瞬間
私の人生が変わったの」
3－3
「見るもの聞くもの
感じるもの
私の風景全部が
カラフルに色付きはじめたの」
——って
——でも
僕には

僕には
モノトーンに
見える
譜面の様に
鍵盤の様に

上がれ!!
キャー
渡君
サイド空いてるぞ

♫
ガラ
♪
♪
スキあり
パコーン
ギャー
?
?
もー
つまんない
リアクション

あんたの青春って何!?
14の春は二度と来ないのよ
放課後に一人教室で
!?
!?
それで何聴いてんのよ!?
いててっ引っぱるな
何で怒られたんだ?
ヨイショ
あれ
CMで流れてる
ミリオンズの新曲!?
うるさい

公生 明日の土曜日ヒマでしょ
決めつけるなよ

・・・・
じゃあ予定あるの？
同じクラスの女のコにね
渡を紹介して欲しいって頼まれてさ
明日会うことになってるの
公生も来てよ
えー
何で僕も
私とそのコと渡の3人じゃ
私気まずいじゃん
どうせ甘い空気になるんだから
2対2ならちょうどいい
それにそのコバイオリンやってるんだって

公生はピアノ
やってるから
共通の話題
あった方が
いいじゃん
話がつまった
時にさ
楽器の話とか
できるでしょ
僕は
ピアノは
やめたんだ
もう2年も
弾いてない

昨日弾いてたじゃん!!
音楽室で
嘘つき
あれはバイト
新譜を耳コピして譜面におこしてるんだ
カラオケ用とか
だから確認のために――
ERASER
ふーん
バイトなんて他にいくらでもあるよ
教室でできるバイトなら
音楽室に行く必要もないじゃん

私には
必死でしがみついているように見えるよ
ピアノ弾いてる公生の方が
かっこよかったなあ

ただいま
最年少優勝
神童
有馬公生(9)
ピアノ部門優勝
高幡ピアノコンクール
最優秀賞
賞

ただいま
母さん

今日は月命日だね

母の夢は
世界を飛び回るピアニストに僕を育てること
音楽教室を営んでいた母のレッスンは
毎日毎日何時間も
叩かれながら
怒鳴られながら
泣いても許してはくれなかった
あなたは私の代わりに
ヨーロッパで成功するの

母さんが喜んでくれるなら
元気になるなら僕がんばるよ
いよいよヨーロッパのコンクールを視野に入れた
3年前
母が死んだ

ピアノは
嫌いだ
それでも
しがみついて
いるのは
きっと僕には
何もないから
ピアノを除けば
僕は　からっぽで
不細工な余韻しか
残らない

BASEBALL
パリ
今日もピアノ聞こえないや
バフ

遅い
5分前行動がなってない
誘っておいて
几帳面

靴が何故木に・・・・？
目印？魔よけ？
ペラ～ン
もう1足!!
!?
!?
ス
スパッツ？女もの!?
!?

ピアニカの音

けっこう
うまい

美和が
言ってたよ

「彼と出会った
瞬間

私の人生が
変わったの」

「見るもの
聞くもの
感じるもの
私の風景
全部が
カラフルに
色付きはじめたの」

「世界が」
「輝きだしたの」

涙(なみだ)
ケホ
強(つよ)く吹(ふ)きすぎちゃった・・・・
ケホ
おねーちゃん
ハト来(こ)ないよ

あれ？
おかしいな
パズーは出来(でき)るのに
ラッパじゃないとダメなんだよー
トランペット
ピアニカだもん
ム
ッ
音楽(おんがく)に国境(こっきょう)や人種(じんしゅ)や生態(せいたい)は関係(かんけい)ないわ
みんなでやってみよ
ワ
ワ
俺(おれ)リコーダーある
私(わたし)カスタネット

♫
♪
絵になるな

ブレーメンの音楽隊だ
くすぐったい
キャー ハト来たよ
痛
給食のコッペパンあげるー

うわっ
カシャ
あはは
春一番だ
俺のぼうし
きゃあ

……
プイ
でーでー
ポッポー

オラぁ
ギャー
私のピアニカ
シャーー
わぁーー
ごめんなさい!!
ボクのピアニカも
バカバカ
もうお嫁に行けない
これは奇跡的な偶然で
楽器を武器にするな
私のレギンス

ゆるすまじ
盗撮魔め
この変態
何っ
偶然だって言ってるだろ
誰がお前なんか
俺のリコーダー
嘘ばっか
何を
何さ
ギャー

あっち騒がしいね
なー椿
公生の声？
そのコ本当にかわいいのか？
！
女同士の〝かわいい〟はアテになんねーからな
あ！かをちゃん
てへぺろ
椿ちゃん

でーでーポッポー
オッホン。
では改めて
私のクラスメイト宮園かをりちゃん
FISH

きゃ
はじめまして
ふ
―で
はじめまして
ギッ
こいつが渡亮太
こうみえてもサッカー部部長
カワイイ・・・
椿ゲッジョブ
やだー
うふふ・・・
何たる変わり身の早さ
みとれた自分が恥ずかしい
ブスー
あとどーでもいいけど
アレは〝友人A〟ね
23
NUMBER

あ
カワイイ
先程は失礼しました
ビク
礼儀正しいコだ
パァア
余計な事言ったら殺すぞ盗撮魔
ゴゴゴゴゴゴ
地獄の様な顔して
!
ちょいと公生
先に声かけて抜けがけなんて
あんたもスミにおけないわね

バイオリニスト!? かっこいい
さすが俺のかをりちゃん
でしょ
公生も行こ
…いや
僕は

私
ヴァイオリニストなの

もうすぐ出番だ
すぐ行かなくちゃ!!
行くってドコに?
あそこ
あそこって
ガチャ
藤和ホール
TOWA HALL
今から あのホールで演奏するの

だから奇跡的な偶然で!!
何怒ってんの?
でも残念でしたー
べー
かをちゃんは渡が好きなの
今日のあんたはワキ役
ひき立て役友人A
あきらめろ
キー
誰があんな狂暴女
I AM FISH

行こ
14歳の春
僕は

自分の足で
走り始める
TOWA HALL
モノトーン／おわり

四月は君の嘘
I met the girl under full-bloomed cherry blossoms, and my fate has begun to change.

四月は君の嘘
I met the girl under full-bloomed cherry blossoms, and my fate has begun to change.

コンクールは
何時から
えーっと
開場が
3時00分
開始が
3時30分
今
3時20分だぜ
げっ
もう始まる
じゃん

大丈夫大丈夫
え!?
私4番目出番だもん
第2話　ヴァイオリニストの恋

けっこう早いじゃん
急げ!!
藤和ホール
到着
ギリギリセーフ
!

座席案内
大会前の緊張感ってドコも同じだね
私までドキドキしちゃう
椿は出ねーだろ

私じゃ
こっちだから
がんばって
バッチリ応援するから
別世界…
みんなセレブだ
観客席こっちだね

ん
どうした？公生
早く行こうぜ
う・・うん
あなたの職場よ

様子見てくる
あのコ上手く弾けるかしら
審査委員長はあの風間先生か
目に留まるチャンスね
小6の時公生の応援に来て以来
この雰囲気久しぶり
あのへん空いてるよ
あれって有馬だよな
ギクッ
ギクッ
有馬君だ!!

有馬って
あのピアノの？
大人になってる
彩木コンクールで最年少優勝した？
外国に行ってるんじゃなかったの？
なんでヴァイオリン部門に？
クラシックの世界は狭いね
ビシ
よ!! 元有名人
ブスー

お前ワザと黙ってたな!!
彼女の演奏聴くって
だって
知ってたら公生・・・・
来なかったでしょ
だから一生懸命黙ってた
やっぱり
ピアノには
イヤな感じしかない?

これより審査を開始いたします
パチ
パチ

ヴェー
課題曲(かだいきょく)

ベートーヴェン
ヴァイオリンソナタ
第9番
『クロイツェル』
ええ…
もう…?
生の演奏を
聴くのは——
久しぶりだな

なんだろう
やけにソワソワする
同じ曲ばっかでつまんない
課題曲だし
連れてきたのお前だろ
※今コンクールの課題曲は１曲のみ
でもお客さんけっこう入ってるね
ちょっとビックリ

※グァルネリ‥‥ストラディヴァリウスと並ぶヴァイオリンの名器。

あ
ズレちゃった
何か下手っぽ

がんばって
がんばって

待ってましたよ!!
あいの手うつな
シー
シー
かをちゃんキレー
カッ
ふー
ドキドキしちゃうな

私の音楽届くかな・・・・
エロイムエッサイム
エロイムエッサイム
我は求め訴えたり

かわいい

……
これって
同じ課題曲だよな

間違いなく課題曲
「クロイツェル」
でも――
冒涜だ

テンポも強弱もデタラメ
ピアノまで無視して勝手に弾いてる
……
楽譜に忠実に弾くことがコンクールでは大切なのに
指示通り弾く気がないのか!?
作曲家にケンカを売ってるようだ
「クロイツェル」――だけど
この曲は もうベートーヴェンのものじゃない

この曲はまぎれもなく
「クロイツェル」は
今
彼女のもの

彼女のもの
暴力上等
性格最低
印象最悪
──でも

彼女は美しい

和製ナージャ
ブラボー
キャー
かをりちゃんサイコー
ほーー
ほーー
こりゃすげえ
厳粛なコンクールで
作曲者に盲従しない
圧倒的な個性

風間大先生あたりは嫌いだろうけど
持ってるものは別格だな
④宮園 か
市立墨 学
でも残念
すごく残念だ
④宮園 かを
市立墨谷中学校
[ピアノ：榊原
これはコンクールだもんな
……
なんでこんなコが——
無名なんだ？

すごい
まだざわついてる
ライブ会場みたいだね
優勝かな？
優勝も入賞も無理だよ
減点多すぎ
楽譜の指示通り弾かないなんて絶対ダメ
え？
ああ
なんでよー
みんな喜んでたじゃん
リサイタルならまだわかるけどコンクールじゃダメ
でも——きっと
そんなもの求めてないんだろうな・・・

なんで あんなに
楽しそうに
演奏できるん
だろう・・・・
ワァァ

15分の休憩に入ります
すごかったね4番
あれでいいの？
宮園かをりでしょ
私ファンになっちゃった
インパクト大だよねー
名前覚えちゃった
かわいい
すごーい
みんなかをちゃんの話してる
かっこよかったもんね
ライブに来てるみたいだったね

唯一起きてられたぜ
一番手から爆睡は最低よ
！
感激しました
これ……お花
わー ありがとう
あ
STAF
宮園さん
審査終了の30分後に結果を貼り出すから
STAF
気にしないでください

そういうの私
興味ないですから
トップ以外意味ないのよ
そういう世界なのよ

!
かをちゃーん
かをちゃんは渡が好きなの
あんたはワキ役
友人A
知ってるさ

演奏を終えた
ヴァイオリニストが
待つ人のもとへ
駆けよってくる
人だかりを
すり抜け
花を抱え
ワキ目も
ふらず

まるで映画のワンシーンのようだ
ちょーかわいかったよ
ありがとー
かをりちゃんが優勝だよ
アハハ
無理無理

君はどーだった？
え!?
僕？
どう・・・・
だった？
すごかったでしょ私
えっと・・
あの・・・・

まぁま・・
・・・・
一次予選で
花をもらった人を
初めて見た
しかも
知らないコ達
だろ?
花を用意してる
わけないし
あのコ達に
とって——

君の演奏を聴いて
あわてて花を買って渡した今日のことは
忘れられないよ
たぶん
そういう演奏だった
まるで映画のワンシーンのようだ
どんなもんだい

僕は――
僕は
友人A役だったけど

ヴァイオリニストの恋／おわり

四月は君の嘘　挿入曲

ベートーヴェン
ヴァイオリンソナタ第９番
「クロイツェル」　第一楽章

ベートーヴェンの作曲した10曲のヴァイオリンソナタ（ヴァイオリンとピアノの二重奏曲）の中で、第５番「春」と並んで有名な曲。３つの楽章で構成され、全部で30分近くかかる大曲です。

「クロイツェル」というのは、この曲を献呈されたヴァイオリニストの名前。ですが諸事情によりクロイツェルが演奏する事はなかったそうです。

『ヴァイオリンソナタ』というと、ヴァイオリンが主役でピアノは伴奏との印象を与えがちですが、この曲は２つの楽器が全く対等です。協奏的二重奏とでもいいましょうか、ピアノ・ヴァイオリン双方に高い技術を求められ、演奏には集中力と体力をかなり要します。

しかしながら、弾き終わった後の爽快感は、天下一品です。

（ヴァイオリニスト／池田梨枝子）

You Tube動画公開中
（月刊少年マガジン　四月は君の嘘　挿入曲）で検索

音楽室
第3話 黒猫

キエー
ひっ!?
ビリ
ビクッ
ドキ
ドキ
あれ?
渡
むく
ドキ
ドキ
あーびっくりした
保健室にいないんで捜しに来てみたら
床にぶっ倒れてんだもん
死んでるかと思ったぜ
体育の授業で直撃だったし
ガン
有馬!?
MILK

コレでボール当たったとこ冷やしとけ
ありがと
それで授業サボって奇声あげて
何やってたんだよ
俺もサボろ
別に
雑念を払っただけだよ
今日のお前変だもんな
いつにもましてボーっと――
はっ
ほー
さては お前

好きなコの事考えてたろ
な
なんでそうなるんだよ!?
思春期の雑念なんざそんなもんさ
タイムリーなかをりちゃんかぁ?
ズズズ
わかるよ
かわいかったもんなあ
MiLK
んなワケないだろ
だって
彼女は——
あんたはワキ役
かをちゃんは

渡が好きなんだよ
僕を好きになるハズないよ
そんなのカンケーねえじゃん
心魅かれるコに好きな人がいるのは当然
恋をしてるからそのコは輝くんだもん

だから人は——
理不尽に恋に落ちるんだ
……
渡がモテる理由がなんとなくわかった
おうよ
好きなコたくさん
でも
僕には無理だ
きっと

無理かどうかは
女の子が教えてくれるさ
……
ほー
渡は良いことを言う
だろ
ゴラぁぁ渡!!
またケイコ泣かせたでしょ
ひっ

フリーにするな
ラインあげろ!!
今日はどうかしてる
早く帰ろ
渡の言う通りだ

気がつけば
茜色の雲のスクリーンに・・・・
瞼の裏の暗幕にリフレインする
何度も
何度も
何度も
♪
♫

母さんが僕に残したものが

その度に僕の心は——

散っていくようで——

もう一度聴きたいけど

聴きたくない

もう一度

会(あ)いたいけど
会(あ)いたくない

こういう感情を
何て呼んだかな
こういう気持ちを
!
何て言ったかな

君は
友人A
春の中にいる

学校の制服
着てる
ホントにウチの
生徒だったんだ
な
ダラ
なによ
ジロジロと
変態
また盗撮
する気でしょ
いやらしい目
してた
しないし
してない!!
嘘
ネットに
流す気でしょ
ま
いいわ
私の人気に
火がつく
だけだし
自信家

渡？
それより渡君は
驚かそうと思って
待ち伏せしてるんだ
今日は部活サボってケイコちゃんと帰るか
最近ゴブサタだったたからな
サイテーだ
まだかな〜
渡は——
まだ部活だよ

・・・・
そっか
じゃあ サッカー部のぞきに行こうかな
ええ!?
夏の大会近いしさ
邪魔しに行くのはどうかと・・・・
アタ
アタ
集中力を欠いてしまう。
うん
よくないよ
うーん 一理ある
邪魔しちゃ嫌われちゃうか
君を代役に任命します
?
クル

焼きたてワッフル
ストロベリーソースがけでございます
キラ
キラ
はわわぁ
まぶしい
はわわ・・
まぶしすぎる
感激してるな

幸せなピアノ
ピアノがニッコリしてる
かわいそうなピアノだよ
ピアノに水気は厳禁なのに
生花を飾るなんて

へー
モグ
モグ
オブジェだと思ったら
ちゃんと弾けるんだね
あのピアノ

んまぁ〜〜い
シアワセ…
あんなに凄い演奏家なのに
普通の女の子にしか見えないや
君のもちょーだい
ああ!!
僕のワッフル!!

このCafeね
気になってたんだぁ
写真のワッフルが
美味しそうで
食べたかったんだぁ
それで
渡か
エキストラの次は
代役か
買い食いは
禁止なんだよ
演奏は
体力
費うから
すぐエネルギー
になる糖分は
必須なの
バナナ
あきた
理由に
なってないよ
知ってるわよ
そんなの
マジメか!!
パク

トゥインクル
トゥインクル
ピアノ教室で習ったの
メグちゃんすごーい
メグーうるさくしないの
それでねー
やーねー
へー
モーツァルトだね

この前習ったの
でもまだ上手に弾けないいんだ
すぐ子供と仲良くなるな
精神年齢が近いのか
そっかームズかしいもんねー
あのお兄ちゃん超上手だから
教えてもらおっか
そうなのー!!
いや僕は
ひいてー
もうピアノは
おしえてー
痛っ
子供に恥かかすなよ
はあああ
おしえてー
ひいてー
子供は苦手

じゃあ
ちょっとだけ
はい
さん
サイテー
オホホ
トゥインクル
トゥインクル

ほらやっぱり

幸せなピアノ
じゃない

トゥインクル
トゥインクル
リトルスター

ビクッ
あら？
やめちゃった
えー
なんでやめちゃうの!?
やめちゃダメー
ブーブー
かっこよかったのに!!
ごめん
本当に
ごめんね

ありがとう
ございました
は――
カラン
コロン
お腹いっぱい
余は満足じゃ
ポン
ポン
あれ？

ほっ
ニャンコだーー
おお!?
ゴロ
ゴロ
ゴロ
ニャー
頭に砂が…
ニャーーー
ニャーーー

猫好きなの?
うん
こいつと同じ黒猫を飼ってたんだ
シャッシャッシャッ
へー
ピアノはもう弾かないの?

やっぱり
君は僕を知ってるの
森脇学生コンクール ピアノ部門優勝
ウリエ国際コンクール 2年連続入賞
彩木コンクール 最年少優勝
エトセトラ エトセトラ

その演奏は正確かつ厳格
"ヒューマンメトロノーム"
8歳でオーケストラとモーツァルトの協奏曲を
共演した神童
。。
よく知ってる
常識
同年代で君を知らない演奏家はいないよ
君は私達の憧れだもの

どうして
やめちゃったの？
どうして？

ピアノの音(おと)が
聴(き)こえないんだ

ありがちな話(はなし)でしょ

え？

え？

え？

さっき
お店で

ピアノ弾いてた
じゃない？

始めはね
聴こえるんだ

でも――
途中から

集中する程

その演奏に
のめり込む程

奏でた音は

春風に攫われた
花のように
もつれながら
遠ざかって
消えてしまう

うん
君はそうかもしれない
君といると
渡の言ってたことが
なんとなくわかる気がする
恋をしてるからそのコは輝くんだ

そうやって私達は
生きてゆく人種なの
私達

甘ったれんなっ!!
ギャー
ニャー
暗い
弾けなくても弾け!!
いたっ
棒くわえて弾いたのか!?
ベートーヴェンみたいに
いた
手が動かないなら足で弾け!!
指が足りないなら鼻も使え!!
ムチャクチャ
モーツァルト!?
悲しくてもボロボロでも
どん底にいても
弾かなきゃダメなの

だから さっき
途中でやめたんだ

聴こえないの?

おかしいだろ

日常生活では何の支障もないんだ

聴こえないのは

僕の演奏するピアノの音だけ

これは罰

指が鍵盤を叩く音も

鍵盤が沈む音も聞こえるのに

自分の音だけが聴こえない

きっとこれは――

罰なんだ

食べ物に
恋をして
ヴァイオリンに
恋をして
日常のささいな
ことに恋をして
音楽に
恋をして
だから君は——
輝いているのかな
こういう気持ちを
何て言ったかな
これは　たぶん

こういう気持ちは
憧れって言うんだ
きっと
よし
決めた

私の伴奏者に任命します
ビ
ク
エエッ!?
ニャ
聴衆推薦てので
二次予選も弾けるんだって
ウニャ
?
それの伴奏
は?
話聞いてた?僕は弾けないんだよ!!
音が聴こえなくなるんだ
うるさいなあ
もう決めたの
おとなしくあきらめろ
君は
春の中にいる

かけがえのない

友人A君を私の伴奏者に任命します

春の中にいる

四月は君の嘘

I met the girl under full-bloomed cherry blossoms, and my fate has begun to change.

四月は君の嘘　挿入曲

モーツァルト
きらきら星変奏曲

当時のフランスの流行歌を、モーツァルトが弟子の教育のために12の変奏曲に仕立て上げたピアノ曲。

漫画内で子供が弾いているのが主題（皆さんもご存じの「キラキラ光る夜空の星よ」のメロディです）で、コーセーがそれに12のうちの最初の第一変奏をかぶせています。

一見簡単そうにきこえますが、さすがモーツァルト。あのメロディがこうなるのか!　という驚きと心地よさで、聴いている人を心から幸せにします。

ちなみに、原題を訳すと‥‥「ねぇ、お母さん聞いて」

（ヴァイオリニスト／池田梨枝子）

You Tube動画公開中
（月刊少年マガジン　四月は君の嘘　挿入曲）で検索

おはよー
椿おはよー
おはー
ドド
ドド
ん?
ドド
おはよー

ドドドド
ドドドド
まてコラーー
ドドドドド
だから

ムリだって言ってるだろ
ボ
おとなしく
伴奏
ガシッ
しろ――
!!!
パコーン
ギャー
ズズズ
なに？今の？
オレンジ100

第4話　カラフル
なんじゃあ？
ワイ
ワイ
家庭科室
そのボウル洗った？
ワイ
ワイ
わぁー新玉ねぎ

公生に？
バイオリンのピアノ伴奏？
そう
この前の伴奏者に愛想つかされちゃって
あの人ピアノ超上手いじゃない
だからお願いしようと思って
ふーん

…………
ダメ……かなぁ……？
？
大興奮
悪寒が……
ブル…

お腹すいたー
あれ俺のジュース
ガッ
あー今日当たる日だわ
ガッ
パン買えなかった
国語の教科書借りてこなきゃ
BLACK TE

※サン=サーンス…フランスの作曲家。組曲「動物の謝肉祭」が特に有名。

バス
…
サン＝サーンス

まさか……
これって
課題曲？
？
椿
かをり
カタ
カタカタ
はーい
17P開いて
今日は
徒然草の——
ビクッ

ど〜ん
みなさん――
下校時刻になりました
どーーん
ええ!?
なんなんだ今日は〜
フラ フラ

ガラ
お前だろ椿!!
ええ!?
どーーん
伴奏やれー!!
どーーん
わーー
どーーん
ケータイも!? 着信音まで!?
ガチャ

バサー
バサー
バサ
INTRODUCTION
きゃー
ビクッ
ひっ
またクラシック
もう一週間も同じ曲
ブーブー
ブーブー
……
バンソウやれ!!

ザー
ブロロロ
いよいよ明日だね
晴れるかな
でも予選が平日なんて珍しいね
「子供に休日は必要だ」って
主催者の持論
へーイキじゃん
一次は参加者が多くて仕方なく土曜日にしたみたい

どーせ公生はばっくれるに決まってんだから
TOWA
Concour
ゴゴゴ
力ずくで連れてく・・・
TOWA
Concour
ーでも本当によかったかな・・・・
・・・・
ムリヤリ伴奏なんて
いいのいいの
グッアイデアよ
GO
ビシ
グッアイデア
公生にはこれぐらい強引にやらないと
あー渡も手伝わせよ
女の子ーかをちゃんのためなら嫌とは言わないよ

ニヒヒ
絶対ピアノ弾かせてやる
椿ちゃんは
有馬君が好きなんだね

バスが止まるまで立たないでください
うーん
ちょっと
違うなぁ
私にとって公生は――
僕一人っ子なのに
世話の焼けるアネキがいるみたいだ

ダメダメな弟って感じ
……
正直言うとね
私は——公生がピアノをやろうとやるまいと
どーでもいいんだ
え？

ただね
やめるなら納得して
やめて欲しい
見てて辛いの
今の公生中途半端だもん
あの日から
あの日から公生は
どこにも行けずにいる

時間って止まるのね
だから
ピアノを弾いて欲しい
きっと何かが変わるはずだから

次は都津原大学病院前
都津原大学病院前
ポーン
とまります
お降りの方は
このボタンを
押してく

TOWA HALL
藤和音楽コン
1
ビー
これより
ヴァイオリン部門
二次予選の
審査を開始
いたします
クイ
クイ

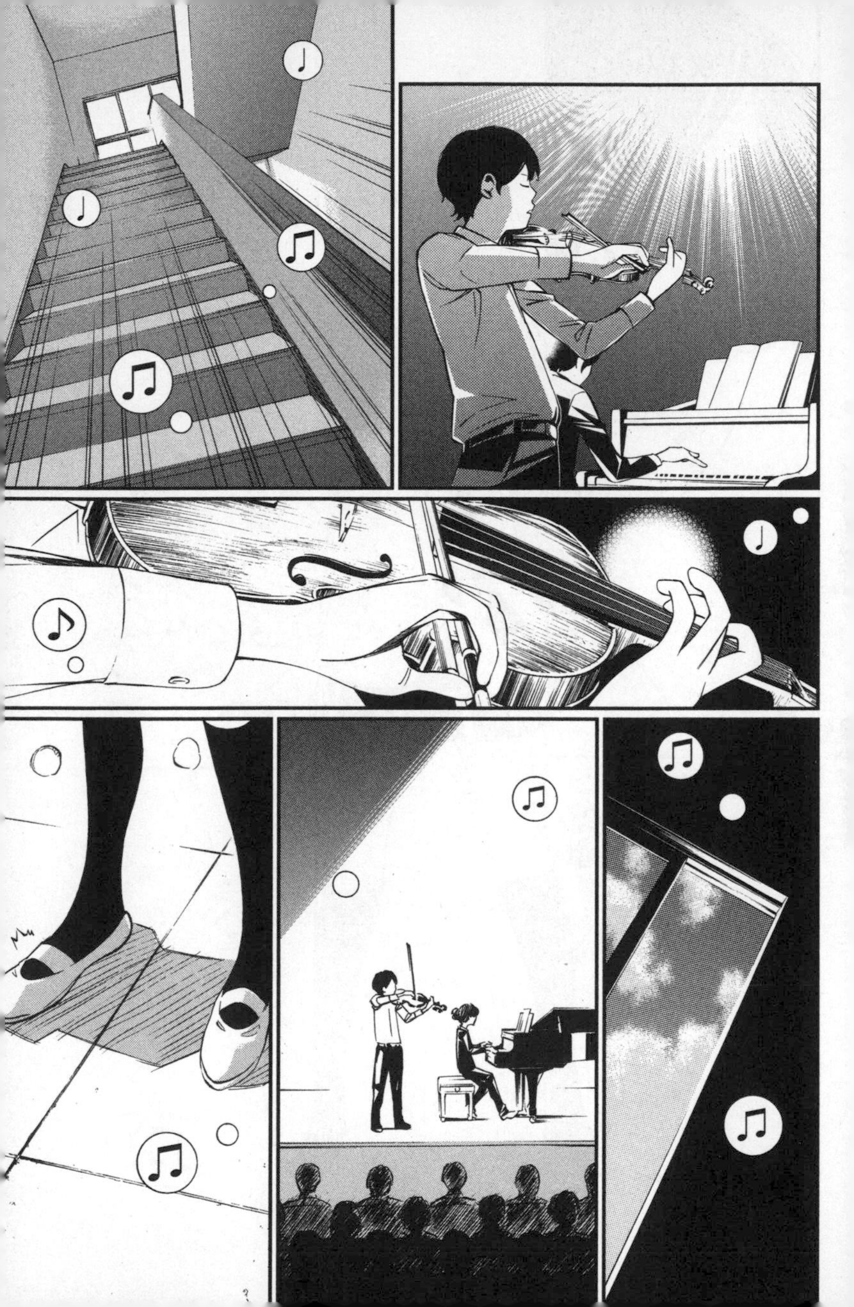

な
なんで君が学校にいるんだ!?
今日って予選でしょ!?

蒼
ヤカン
ギャーー
何やっとんじゃーー!!!
あんたを迎えに来たんでしょ!!
こんな所に隠れて
ビシ
捜してたんだから
シュ
さっさと行くよ!!
伴奏なんてやらないって
ずっと言ってるだろ
何ィ!?
専門に勉強してる人がいるのに
僕なんかが伴奏できないよ
それに今から行っても
満足のいく演奏なんて
……

僕は また
理由を探している
僕はピアノが弾けないんだ
だから何だっていうの
君は弾けないんじゃない
弾かないんだ

〝ピアノの音が聴こえない〟
それを言い訳に
逃げこんでいるだけじゃない
グッ
助けて 誰か
音が聴こえないよ
僕は

僕は怖いんだ
僕は
コンクールでは
音が全て
そこで僕とピアノは
2人きり
その全てが無くなった
──あの日

暗い海の底にいるように
何も聴こえない
誰もいない
暗い
暗い
ほっとしただろ
音が聴こえなくなった時
君は理由ができた
もう舞台に立たなくていい理由が

君はベートーヴェンじゃないものな
助けて
あーあ
音が聴こえないよ
ハハ
まっ白になったか
お母さん
変なコ
ハハ
助けて
誰か
クス
弾き方忘れちゃったか？
クス
ハハハ
有馬が自滅した
ラッキー

どうして弾かないの？
こんなの初めて見た
クス
終わった
クス
1人減った
クス
これで優勝候補？
緊張で飛んだな
僕は暗い海の底で
また一人ぼっちになる

私がいるじゃん

君が――
音が聴こえないのも
ピアノを弾いてないのも
知ってる

全部
知ってる

でも君が
いいの

君の言う通り
満足のいく演奏は
できないかも
しれない

でも
弾くの

弾ける機会と
聴いてくれる人が
いるなら

コーセー

私は全力で
弾く

コーセー/

聴いてくれた人が
私を――
忘れないように
その人の心に
ずっと住めるように
私は演奏家だもの
君と同じ
それが私のあるべき理由
だから
お願いします

私の伴奏をしてください
私をちょっぴり支えてください

くじけそうになる私を——
支えてください

渡の言う通りだ
無理かどうかは
……
やるよ
君の伴奏

どーなっても知らないからな
女の子が教えてくれるさ

うん

バーン
いた――
ビックッ
椿
渡
何やってんのよ
捜してたんだから!!
ドッ
ガッ
逃げんなよ男のクセに
ビシッ
バキ
痛っ
痛っ
俺のかをりちゃんに迷惑かけんじゃねー
バカヤローが
ヨボッ
ダッシュなら20分で着く
ガーン
ダッシュ
20分
まともに弾けないぞ
ニヤ
"我に策あり"だ

行けーー!!!

でも
大丈夫？
練習は？
合わせたの!?
ヘーキ
ヘーキ
何とか
なるって
私達
最強だもん
体育会系
ナメんなよ
合わせる時間
くらい作れるぜ
ていうか　お前等
学校は？
SAINT-SAËNS
INTRODUCTION &
RONDO CAPRICCIOSO

僕の住んでいる
街は——
いいから
譜面に集中
この自転車
誰の!?
つまんねえ
心配
すんなっての
カラフルに
色付いている
[四月は君の嘘] つづく

Special Thanks:

大澤徹訓
池田梨枝子
山崎香
神谷美寛
TOPPAN HALL
KAWAGUCHI LILIA
音楽堂anoano

編集部では、この作品に対する皆様のご意見・ご感想をお待ちしております。
また「講談社コミックス」にまとめてほしい作品がありましたら、編集部までお知らせください。

〈あて先〉
〒112-8001 東京都文京区音羽2-12-21 講談社
月刊少年マガジン編集部「四月は君の嘘」KC係

なお、お送りいただいたお手紙・おハガキは、ご記入いただいた個人情報を含めて
著者にお渡しすることがありますので、あらかじめご了解のうえ、お送りください。

作品初出／月刊少年マガジン2011年5月号〜8月号

装丁／朝倉健司

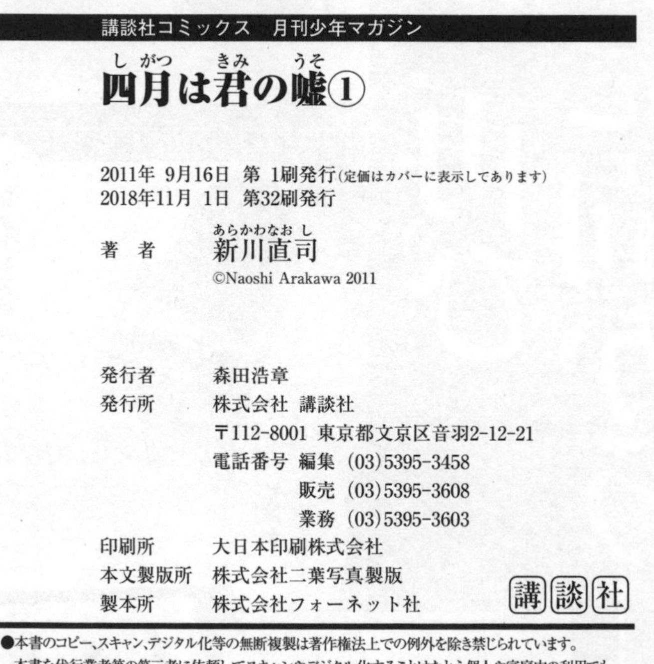

講談社コミックス　月刊少年マガジン

四月(しがつ)は君(きみ)の嘘(うそ)①

2011年 9月16日 第 1刷発行（定価はカバーに表示してあります）
2018年11月 1日 第32刷発行

著　者　新川直司(あらかわなおし)

発行者　森田浩章
発行所　株式会社 講談社
〒112-8001 東京都文京区音羽2-12-21
電話番号 編集 (03)5395-3458
販売 (03)5395-3608
業務 (03)5395-3603
印刷所　大日本印刷株式会社
本文製版所　株式会社二葉写真製版
製本所　株式会社フォーネット社

講談社

N.D.C.726　220p　18cm　Printed in Japan　ISBN978-4-06-371301-5

少年は、再びピアノに向かう――
私を見て
サン＝サーンスが
私達を待ってるよ
Saint-Saens
Introduction & Rondo Capriccioso
14

サン＝サーンス
序奏と
ロンド・カプリチオーソ
音を失い、ピアノを弾けなくなった有馬公生は
宮園かをりの願いをうけ、再び音楽と向き合う。
じゃじゃ馬ヴァイオリニストの伴奏として
コンクール曲を歌い上げることは叶うのか!?
四月は君の嘘
新川直司
I met the girl under full-bloomed cherry blossoms, and my fate has begun to change.

Monthly Shonen Magazine Comics

四月は君の嘘

I met the girl under full-bloomed cherry blossoms,
and my fate has begun to change.

1 *Naoshi Arakawa*

Kodansha